Drygioni Mog

Judith Kerr

Trosiad Hedd a Non ap Emlyn

DREF WEN

Cyhoeddwyd gyntaf yn Saesneg 2000
gan HarperCollins Publishers Ltd.
dan y teitl *Mog's Bad Thing*.
Cyhoeddwyd yn Gymraeg 2001 gan Wasg y Dref Wen Cyf.
28 Ffordd yr Eglwys, Yr Eglwys Newydd,
Caerdydd CF14 2EA
Ffôn 029 20617860.

Argraffwyd yn Singapore.

Un diwrnod, roedd Mog yn dychwelyd
i'w gardd ar ôl bod yn hela llygod drwy'r nos.
Roedd hi wedi blino'n lân. "Mae angen cwsg arna i –
cwsg hir," meddyliodd.

Ond, yn gyntaf, aeth o gwmpas yr ardd, er
mwyn gweld a oedd popeth yn iawn.
Roedd y borfa yno o hyd.

Roedd y blodau yno o hyd.

Roedd y goeden yno o hyd, a'i thŷ bach
y tu ôl i'r goeden. "Popeth yn iawn, felly,"
meddyliodd.

Dechreuodd fwrw glaw, felly aeth Mog
i mewn i'r tŷ.

Roedd Mr Ifans o'r siop anifeiliaid anwes wedi galw i weld Mr Tomos. "Helô, Mog," dywedodd. "Wyt ti'n barod ar gyfer y sioe?"
"Mae sioe gathod yn ein gardd ni yfory," eglurodd Lowri. "Wyt ti eisiau dod?"
"Beth os bydd hi'n bwrw glaw?" gofynnodd Iolo. "Bydd y cathod yn gwlychu."
"Na fyddan," dywedodd Mr Ifans, "achos rydw i'n mynd i godi pabell fawr ar gyfer y sioe."

“Efallai y bydd Mog yn ennill gwobr,”
dywedodd Lowri.
Edrychodd Mr Tomos ar Mog
ac edrychodd Mog ar Mr Tomos.
“Wel … pwy a ŵyr?” dywedodd.

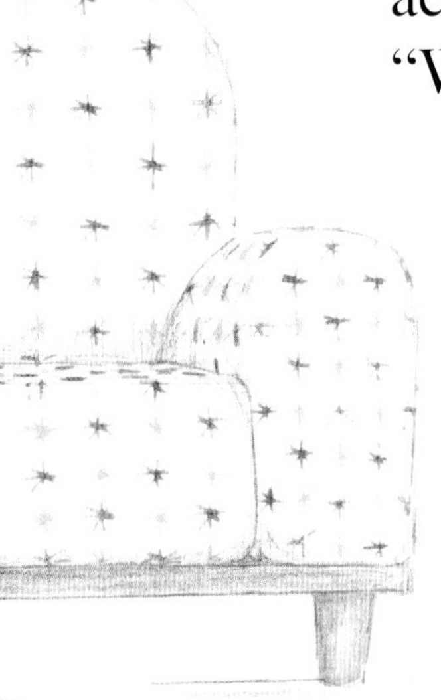

Cafodd Mog ei brecwast ac yna aeth am gwsg hir. Yn wir, cafodd gwsg hir iawn – mor hir fel na ddihunodd hi nes bod pawb arall wedi mynd i'r gwely. "O wel," meddyliodd, "beth am fynd i hela llygod eto?"

Ond wrth iddi edrych allan, cafodd sioc ofnadwy. Roedd ei gardd wedi diflannu. Roedd y borfa wedi diflannu, a'r blodau hefyd. Roedd y goeden wedi diflannu ac, yn waeth byth, ei thŷ bach y tu ôl i'r goeden hefyd.

Yn eu lle, roedd rhywbeth mawr yn fflipian fflapian yn y tywyllwch. Roedd e'n symud yn y gwynt gan wneud sŵn fflapian uchel – Fflap! Fflap! Fflap! "Well i mi redeg," meddyliodd Mog. Yna meddyliodd, "Ond rydw i eisiau mynd i'r tŷ bach."
Yn sydyn, fflapiodd y peth fflapiog mawr tuag ati. Bu bron iddo ei tharo ar ei thrwyn. Rhedodd am ei bywyd.

Rhedodd yn ôl i mewn i'r tŷ.

Rhedodd trwy bob ystafell, rhag ofn bod y peth fflapiog yn dod ar ei hôl hi.

"Beth wna i nawr?" meddyliodd.

"Beth wna i?"

Ac yna, gwnaeth Mog rywbeth drwg.
Doedd hi ddim wedi bwriadu ei wneud e.
Ond gwnaeth hi rywbeth drwg iawn –
a hynny ar gadair Mr Tomos.

Yna, cuddiodd o dan y soffa,
lle byddai'n ddiogel rhag
y peth fflapiog. Roedd hi bron
â thorri'i chalon. Doedd hi ddim
yn gallu meddwl mwy
ac aeth yn ôl i gysgu.

Yn y bore, cafodd ei dihuno gan sŵn mawr. Sŵn gweiddi.
Sŵn Mr Tomos yn gweiddi.
“Edrychwch beth mae’r gath ofnadwy ’na wedi ei wneud ar fy nghadair i!” gwaeddodd. “Ble mae hi? Arhoswch chi nes i fi gael gafael arni!”

Doedd Mog ddim eisiau i Mr Tomos gael gafael arni.
Pan doedd neb yn edrych, daeth allan o dan y soffa
a rhedodd allan o’r ystafell i fyny i’r atig.

“Ddaw neb o hyd i fi yma,” meddyliodd. “Mi wna i aros yma am byth – wna i byth fynd i lawr y grisiau ’na eto.” Roedd hi’n drist iawn.

Ond lawr llawr, roedd pawb yn rhy brysur i feddwl am Mog. Roedd Mr Ifans wedi cyrraedd er mwyn paratoi ar gyfer y sioe gathod. Trwsiodd dwll yn nho’r babell lle roedd y glaw yn dod i mewn.

Yna, gosododd fwrdd i'r cathod eistedd arno

a chadeiriau ar gyfer pobl y cathod.

"Mae'n bryd i Mog
baratoi hefyd,"
meddai Lowri.
"Ble mae hi?"

Doedd neb wedi ei gweld hi. “Mog!” gwaeddodd pawb.
“Ble rwyt ti, Mog?”

“O diar, dyma’r cathod cyntaf yn cyrraedd,”
dywedodd Mrs Tomos.

Ond doedd dim sôn am Mog er iddyn nhw edrych ym mhob man.

"Ond allwn ni ddim dechrau'r sioe gathod heb Mog," dywedodd Lowri.
"Paid â phoeni," dywedodd Mr Ifans, "Mae hi'n siŵr o ddod cyn bo hir."

Doedd dim mwy o amser i chwilio am Mog
oherwydd roedd rhagor o gathod yn cyrraedd.
Daeth cath Siam o’r tŷ ar y gornel
a Modlen o’r Stryd Fawr
a Sinsir o’r siop bapurau
a Tomi, cath hen ddyn o’r enw Mr Ben
a Blewyn, oedd wedi cnoi clust Mog un tro,
ac Oscar, oedd yn bwyta llond tri thun
o fwyd cathod bob dydd,
– a haid o gathod eraill hefyd.

Aethon nhw i gyd i mewn i'r babell fawr. Edrychodd y cathod ar ei gilydd ac edrychodd pobl y cathod ar ei gilydd ac ar gathod ei gilydd. Roedd gwobr am y gath fwyaf anghyffredin yn y sioe, ac roedd pawb yn ceisio dyfalu pa gath fyddai'n ennill.

Roedd llawer o bobl yn meddwl bod Blewyn yn anghyffredin.
“Dim ond am gnoi clustiau,” chwarddodd Iolo.

Aeth Mr Ifans o gwmpas gan ysgrifennu nodiadau.
Allai e ddim ysgrifennu nodiadau am Mog
oherwydd doedd hi ddim yno.
“Ble yn y byd mae hi?” gofynnodd Lowri.

Roedd Mog yn dechrau teimlo'n ddiflas yn ei chuddfan.
Penderfynodd edrych allan drwy'r ffenest. Doedd y peth fflapiog
ddim yn fflapian erbyn hyn. Doedd e ddim yn edrych
hanner cynddrwg yng ngolau dydd.

A dyna lle roedd ei choeden! Oedd, roedd hi yno o hyd.
"Gallwn i neidio i lawr ar ben y peth fflapiog, ac i mewn i
'ngardd i," meddyliodd. "Ond beth os bydd e'n fflapian arna i?"
Yna, penderfynodd, "Dyma roi cynnig arni!"

Tu mewn i'r babell, roedd Mr Ifans wedi gorffen ysgrifennu ei nodiadau. Yna dywedodd, "Mae'n bryd i ni ddewis yr enillydd. Gallwn ni ddewis Byrti, gan fod ganddo lygaid anghyffredin, neu Oscar, sy'n anghyffredin o fawr, neu Blewyn, sy'n anghyffredin o flewog, neu Moelwen, sydd heb fawr o flew,

neu Pwsi Meri Mew, sydd wedi cael nifer anghyffredin iawn o gathod bach …" Ond roedd rhywbeth o'i le. Roedd Blewyn yn dechrau gwlychu. Roedd hi'n bwrw glaw ar ben Blewyn. Roedd hi'n bwrw glaw y tu mewn i'r babell.

"O diar," meddai Mr Ifans, "twll arall yn y to ac mae'r glaw'n dod i mewn."

Ond yna, daeth rhywbeth
mwy na’r glaw i mewn.

Rhywbeth blewog.
Rhywbeth streipiog.
“Mog!” gwaeddodd Iolo.

"Wel, bobol bach!" dywedodd Mr Ifans. "Ac mae hi'n gwisgo ffrog fach. Roeddwn i'n disgwyl i Mog roi syrpreis i ni, ond doeddwn i ddim yn disgwyl hyn chwaith!" Ceisiodd Mog ddweud rhywbeth, ond dim ond llais bach main oedd ganddi. "Miaw." Yna, dywedodd Mr Ifans, "Rydyn ni wedi gweld cathod anghyffredin yn ystod y sioe heddiw ond does dim un ohonyn nhw mor anghyffredin â Mog. Mae hi wedi hedfan trwy'r awyr fel cath syrcas. Mae hi wedi ein rhyfeddu ni i gyd, ac felly rydw i'n credu mai hi ddylai ennill y wobr am y gath fwyaf anghyffredin."

Dechreuodd pawb guro dwylo a gweiddi hwrê.

Wel, bron pawb.

Cafodd Mog wobr arbennig iawn
a chafodd Mr a Mrs Tomos dystysgrif.

Roedden nhw'n falch iawn o Mog. Roedd Mr Tomos mor falch, doedd e ddim yn flin am ei gadair erbyn hyn. Ac ar ôl i bawb fynd adref, aeth Mr Ifans â'i babell i ffwrdd, gan adael gardd Mog fel roedd hi i fod.

Roedd popeth yno fel o'r blaen. Roedd y borfa yno. Roedd y blodau yno. Roedd y goeden yno – a'r tŷ bach y tu ôl i'r goeden. Roedd Mog wrth ei bodd.